하루 10분 서술형/문장제 학습지

수학
독해

A1 100까지의 수
초1~초2

Creative to Math

수학독해 : 수학을 스스로 읽고 해결하다

객관식이나 간단한 단답형 문제는 자신 있는데 긴 문장이나 풀이 과정을 쓰라는 문제는 어려워하는 아이들이 있어요. 빠르고 정확하게 연산하고 교과 응용문제까지도 곧잘 풀어내지만, 문제 속 상황이 약간만 복잡해지면 문제를 풀려고도 하지 않는 아이들도 많아요. 이러한 아이들에게 부족한 것은 연산 능력이나 문제 해결력보다는 독해력과 표현력입니다. 특히 수학적 텍스트를 이해하고 표현하는 능력, 즉 수학 독해력이지요.

요즘 아이들의 독해력이 약해진 가장 큰 이유는 과거에 비해 이야기를 만나는 방식이 다양해졌기 때문이에요. 예전에는 대부분 말이나 글로써만 이야기를 접했어요. 텍스트 위주로 여러 가지 사건을 간접 체험하고, 머릿 속으로 상황을 그려내는 훈련이 자연스럽게 이루어졌지요. 반면 요즘 아이들은 글보다도 TV나 스마트폰 등 영상매체에 훨씬 빨리, 자주 노출되기에 글을 통해 상상을 할 필요가 점점 없어지게 되었습니다.

그렇다고 아이들에게 어렸을 때부터 영화나 애니메이션을 못 보게 하고 책만 읽게 하는 것은 바람직하지 않고, 가능하지도 않아요. 시각 매체는 그 자체로 많은 장점이 있기 때문에 지금의 아이들은 예전 세대에 비해 이미지에 대한 이해력과 적용력이 매우 뛰어나답니다. 문제는 아직까지 모든 학습과 평가 방식이 여전히 텍스트 위주이기 때문에 지금도 아이들에게 독해력이 중요하다는 점이에요. 그래서 저희는 영상 매체에는 익숙하지만 말이나 글에는 약한 아이들을 위한 새로운 수학 독해력 향상 프로그램인 씨투엠 수학독해를 기획하게 되었어요.

씨투엠 수학독해는 기존 문장제/서술형 교재들보다 더욱 쉽고 간단한 학습법을 보여주려 해요. 문제에 있는 문장과 표현 하나하나마다 따로 접근하여 아이들이 어려워하는 포인트를 찾고, 각 포인트마다 직관적인 활동을 통해 독해력과 표현력을 차근차근 끌어올리려고 합니다. 또한 문제 이해와 풀이 서술 과정을 단계별로 세세하게 나누어 문장제, 서술형 문제를 부담 없이 체계적으로 연습할 수 있어요. 새로운 문장제 학습법인 씨투엠 수학독해가 문장제 문제에 특히 어려움을 겪고 있거나 앞으로 서술형 문제를 좀 더 잘 대비하고 싶은 아이들에게 큰 도움이 될 것이라 자신합니다.

수학독해의 구성과 특징

- 매일 부담없이 2쪽씩, 하루 10분 문장제 학습
- 매주 5일간 단계별 활동, 6일차는 중요 문장제 확인학습
- 5회분의 진단평가로 테스트 및 복습

주차별 구성

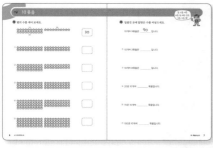

일일학습
꼬마 수학자들의
간단한 팁과 함께
매일 새롭게 만나는
단계별 문장제 활동

확인학습
중요 문장제 활동을
다시 한번 확인하며
주차 학습 마무리

진단평가 구성

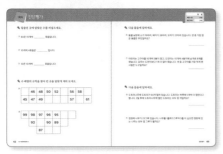

진단평가
4주 간의 문장제 학습에서 부족한 부분을
확인하고 복습하기 위한 자가 진단 테스트

이 책의 차례

별의 수를 세어 보세요.

30

①

②

③

④

⑤

열, 스물, 서른, 마흔, 쉰, 예순, 일흔, 여든, 아흔, 백!

❀ 밑줄친 곳에 알맞은 수를 써넣으세요.

10개씩 9묶음은 __90__ 입니다.

① 10개씩 3묶음은 _____ 입니다.

② 10개씩 8묶음은 _____ 입니다.

③ 20은 10개씩 _____ 묶음입니다.

④ 70은 10개씩 _____ 묶음입니다.

⑤ 100은 10개씩 _____ 묶음입니다.

🧀 10개씩 묶어 세어 보고 밑줄친 곳에 알맞은 수를 써넣으세요.

10개씩 묶음이 _____5_____ 개이므로 _____50_____ 입니다.

①

10개씩 묶음이 _____ 개이므로 _____ 입니다.

②

10개씩 묶음이 _____ 개이므로 _____ 입니다.

③

10개씩 묶음이 _____ 개이므로 _____ 입니다.

문제에 답할 때는 항상 단위를 빠뜨리지 않아야 해.

🐞 다음 물음에 답하세요.

야구공이 한 상자에 10개씩 담겨 있습니다. 상자 6개에 있는 야구공은 모두 몇 개일까요?

60개

① 의자가 한 줄에 10개씩 놓여 있습니다. 9줄에 놓인 의자는 모두 몇 개일까요?

② 진아는 우표를 10장씩 4묶음 가지고 있습니다. 진아가 가진 우표는 모두 몇 장일까요?

③ 별사탕이 한 봉지에 10개씩 들어 있습니다. 10봉지에 있는 별사탕은 모두 몇 개일까요?

④ 연필을 필통에 10자루씩 넣었습니다. 필통 3개에 있는 연필은 모두 몇 자루일까요?

🐝 묶음과 낱개를 각각 세어 보고 알맞은 수를 써넣으세요.

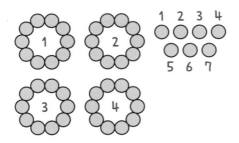

10개씩 묶음	낱개	수
4	7	47

①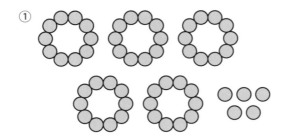

10개씩 묶음	낱개	수

②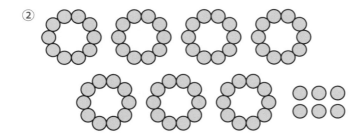

10개씩 묶음	낱개	수

③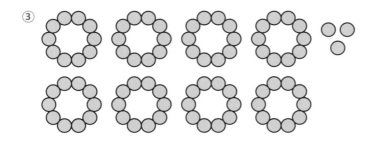

10개씩 묶음	낱개	수

🐝 밑줄친 곳에 알맞은 수를 써넣으세요.

10개씩 2묶음과 낱개 3개는 __**23**__ 입니다.

① 10개씩 9묶음과 낱개 1개는 _____ 입니다.

② 10개씩 6묶음과 낱개 4개는 _____ 입니다.

③ 19는 10개씩 _____ 묶음과 낱개 9개입니다.

④ 72는 10개씩 7묶음과 낱개 _____ 개입니다.

⑤ 38은 10개씩 _____ 묶음과 낱개 _____ 개입니다.

묶음과 낱개를 각각 세어 보고 밑줄친 곳에 알맞은 수를 써넣으세요.

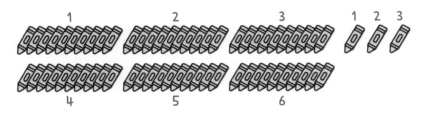

10개씩 묶음 __6__ 개와 낱개 __3__ 개이므로 __63__ 입니다.

①

10개씩 묶음 _____ 개와 낱개 _____ 개이므로 _____ 입니다.

②

10개씩 묶음 _____ 개와 낱개 _____ 개이므로 _____ 입니다.

③

10개씩 묶음 _____ 개와 낱개 _____ 개이므로 _____ 입니다.

묶음의 수와 낱개의 수를 나란히 쓰면 전체 수가 나오지.

🐞 다음 물음에 답하세요.

밤이 10개씩 묶음 4개와 낱개 5개가 있습니다. 밤은 모두 몇 개일까요?

45개

① 학생들이 10명씩 2개 모둠을 만들면 8명이 남습니다. 학생들은 모두 몇 명일까요?

② 은아는 줄넘기를 10번씩 7세트를 하였고 2번 더 하였습니다. 은아가 한 줄넘기는 모두 몇 번일까요?

③ 도넛이 한 상자에 10개씩 5상자 있고 1개 더 있습니다. 도넛은 모두 몇 개일까요?

④ 장미가 한 다발에 10송이씩 3다발 있고 3송이 더 있습니다. 장미는 모두 몇 송이일까요?

✿ 풍선을 10개씩 묶으면 몇 묶음이 되고 몇 개가 남는지 구하세요.

10개씩 묶으면 ____2____ 묶음이 되고 ____6____ 개가 남습니다.

①

10개씩 묶으면 _____ 묶음이 되고 _____ 개가 남습니다.

②

10개씩 묶으면 _____ 묶음이 되고 _____ 개가 남습니다.

두 자리 수에서 십의 자리 숫자는 10개씩 묶음의 수와 같아.

🌸 다음 물음에 답하세요.

사과 35개를 한 상자에 10개씩 담으려고 합니다. 사과는 몇 상자가 되고 몇 개가 남을까요?

3상자, 5개

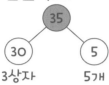

① 튤립 63송이를 한 다발에 10송이씩 묶으려고 합니다. 튤립은 몇 다발이 되고 몇 송이가 남을까요?

② 연필 78자루를 고무줄로 10개씩 묶으려고 합니다. 연필은 몇 묶음이 되고 몇 자루가 남을까요?

③ 구슬이 52개 있습니다. 구슬을 10개씩 꿰어 팔찌를 만들려고 합니다. 팔찌는 몇 개가 되고 구슬은 몇 개 남을까요?

④ 학생 80명을 10명씩 모둠으로 나누려고 합니다. 학생들은 몇 모둠이 되고 몇 명이 남을까요?

✎ 밑줄친 곳에 알맞은 수를 써넣으세요.

① 10개씩 5묶음은 _____ 입니다.

② 10개씩 7묶음과 낱개 2개는 _____ 입니다.

③ 90은 10개씩 _____ 묶음입니다.

④ 49는 10개씩 _____ 묶음과 낱개 9개입니다.

⑤ 88은 10개씩 8묶음과 낱개 _____ 개입니다.

⑥ 10개씩 10묶음은 _____ 입니다.

✎ 다음 물음에 답하세요.

⑦ 아현이는 색연필을 10자루씩 2묶음 가지고 있습니다. 아현이가 가진 색연필은 모두 몇 자루일까요?

_____

⑧ 학생들이 한 줄에 10명씩 6줄 서 있고 7명 더 있습니다. 학생들은 모두 몇 명일까요?

_____

⑨ 냉장고에 귤이 10개씩 8봉지와 5개 더 있습니다. 귤은 모두 몇 개일까요?

_____

⑩ 배추김치를 김치통에 10포기씩 넣었습니다. 김치통 7개에 있는 배추김치는 모두 몇 포기일까요?

_____

⑪ 탁구공이 10개씩 묶음 9개와 낱개 8개가 있습니다. 탁구공은 모두 몇 개일까요?

_____

✏️ 다음 물음에 답하세요.

⑫ 달걀 31개를 한 상자에 10개씩 담으려고 합니다. 달걀은 몇 상자에 담게 되고 몇 개가 남을까요?

_____

⑬ 풍선 94개를 10개씩 묶으려고 합니다. 풍선은 몇 묶음이 되고 몇 개가 남을까요?

_____

⑭ 주사위 100개를 한 통에 10개씩 담으려고 합니다. 모두 담으면 몇 통에 담고 몇 개가 남을까요?

_____

⑮ 색종이 29장을 한 봉지에 10장씩 넣으려고 합니다. 색종이는 몇 봉지에 넣게 되고 몇 장이 남을까요?

_____

2주차

수의 순서

앞의 수와 뒤의 수

✿ 빈칸과 밑줄친 곳에 알맞은 수를 써넣으세요.

| 20 | 21 | 22 | 23 | 24 |

23 뒤에 있는 수는 __24__ 입니다.

①

| 45 | 46 | 47 | 48 | |

48 뒤에 있는 수는 _____ 입니다.

②

| | 70 | 71 | 72 | 73 |

70 앞에 있는 수는 _____ 입니다.

③

| | 57 | 58 | 59 | 60 |

57 앞에 있는 수는 _____ 입니다.

🌸 다음 물음에 답하세요.

유리네 반 학생들이 번호 순서대로 서 있습니다. 유리가 35번일 때 유리 다음에 서 있는 학생은 몇 번일까요?

36번

① 깃발을 번호 순서대로 세웠습니다. 89번 깃발 다음에 있는 깃발은 몇 번일까요?

② 바둑돌을 하나씩 수를 세면서 놓았습니다. 40번 바둑돌 앞에 놓은 바둑돌은 몇 번일까요?

③ 주민센터에서 73번 번호표를 뽑았습니다. 바로 앞에서 번호표를 뽑은 사람은 몇 번일까요?

④ 오늘은 4월 27일입니다. 내일은 4월 며칠일까요?

🐞 빈칸과 밑줄친 곳에 알맞은 수를 써넣으세요.

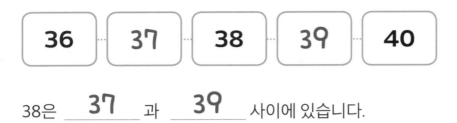

| 36 | 37 | 38 | 39 | 40 |

38은 ___37___ 과 ___39___ 사이에 있습니다.

①

| 91 | | 93 | | 95 |

93은 _____ 와 _____ 사이에 있습니다.

②

| 54 | 55 | | 57 | 58 |

55와 57 사이에 있는 수는 _____ 입니다.

③

| 29 | 30 | | 32 | 33 |

30과 32 사이에 있는 수는 _____ 입니다.

연속하는 세 수에서 양 끝 수 사이의 수는 가운데 수야.

🎨 다음 물음에 답하세요.

세탁소에서 바지를 번호 순서대로 정리했습니다. 66번과 68번 사이에 있는 바지는 몇 번일까요?

67번

① 기수네 반 학생들이 번호 순서대로 앉아 있습니다. 기수가 24번일 때 기수는 몇 번과 몇 번 학생 사이에 앉아 있을까요?

② 수 카드가 번호 순서대로 놓여 있습니다. 79번과 81번 수 카드 사이에 있는 카드는 몇 번일까요?

③ 동화책에서 37쪽은 몇 쪽과 몇 쪽 사이에 있을까요?

④ 양계장에서 달걀에 번호를 순서대로 써넣었습니다. 98번과 100번 달걀 사이에 있는 달걀은 몇 번일까요?

🐝 그림을 보고 물음에 답하세요.

52보다 1 큰 수는 얼마일까요?   53

① 57보다 1 작은 수는 얼마일까요?   _____

② 54보다 1 큰 수는 얼마일까요?   _____

③ 77보다 1 작은 수는 얼마일까요?   _____

④ 73보다 1 큰 수는 얼마일까요?   _____

⑤ 72보다 1 작은 수는 얼마일까요?   _____

어떤 수 앞의 수는 1 작은 수와 같고, 뒤의 수는 1 큰 수와 같아.

🐝 다음 물음에 답하세요.

지연이는 색종이를 30장 가지고 있습니다. 레이는 지연이보다 색종이를 1장 더 가지고 있습니다. 레이가 가진 색종이는 몇 장일까요?

31장

① 과일 가게에 사과가 78개 있습니다. 귤은 사과보다 1개 더 많습니다. 과일 가게에 있는 귤은 몇 개일까요?

② 흰 바둑돌이 43개 있습니다. 검은 바둑돌은 흰 바둑돌보다 1개 더 적습니다. 검은 바둑돌은 몇 개일까요?

③ 지아는 어제 줄넘기를 97번 했습니다. 오늘은 어제보다 줄넘기를 1번 더 적게 했습니다. 지아가 오늘 한 줄넘기는 몇 번일까요?

④ 호진이는 감자를 27개 캤습니다. 고구마는 감자보다 1개 더 많이 캤습니다. 호진이가 캔 고구마는 몇 개일까요?

🍪 그림을 보고 물음에 답하세요.

84와 87 사이에 있는 수를 모두 구하세요.

85, 86

① 86과 90 사이에 있는 수는 모두 몇 개일까요?

_____

② 88과 91 사이에 있는 수를 모두 구하세요.

_____

③ 43과 45 사이에 있는 수는 모두 몇 개일까요?

_____

④ 39와 42 사이에 있는 수를 모두 구하세요.

_____

⑤ 40과 43 사이에 있는 수는 모두 몇 개일까요?

_____

사이의 수를 구할 때는 작은 수부터 큰 수까지 순서대로 써 봐.

🎨 다음 물음에 답하세요.

수 카드가 번호 순서대로 놓여 있습니다. 54번과 57번 수 카드 사이에 있는 카드는 모두 몇 장일까요?

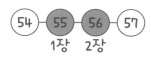
1장 2장

2장

① 소설책 79쪽과 84쪽 사이에는 모두 몇 쪽이 있을까요?

_____

② 학생들이 번호 순서대로 서 있습니다. 18번과 20번 학생 사이에는 모두 몇 명이 있을까요?

_____

③ 구슬을 번호 순서대로 꿰었습니다. 60번과 66번 구슬 사이에 있는 구슬은 모두 몇 개일까요?

_____

④ 마라톤 경기에서 32등과 36등 사이에는 모두 몇 명이 들어왔을까요?

_____

🌼 수 배열의 규칙을 찾아 빈 곳을 알맞게 채워 보세요.

①

	21	22	23	
24		26	27	
29	30	31			34

②

36	39	42	45		51	
37	40			49		55
38	41	44		50	53	56

③

	58	59	60	61	
62		65	66	67	68
69		71	72		74	75	76
	78		80	81			84

수가 어느 방향으로
커지거나 작아지는지
먼저 알아내야 해.

🏵 사물함에 번호를 순서대로 붙였습니다. 물음에 답하세요.

44	48			60		
43	47					67
42	46	50			62	66
41	45	49	53		61	65

50번 사물함 바로 위에 있는 사물함은 몇 번일까요?

51번

① 67번 사물함 바로 왼쪽에 있는 사물함은 몇 번일까요?

② 48번 사물함에서 오른쪽으로 2칸, 아래로 1칸 떨어진 곳에 있는 사물함은 몇 번일까요?

③ 61번 사물함에서 왼쪽으로 1칸, 위로 2칸 떨어진 곳에 있는 사물함은 몇 번일까요?

✎ 다음 물음에 답하세요.

① 강아지들이 번호 순서대로 서 있습니다. 67번 강아지 앞에 서 있는 강아지는 몇 번
일까요?

_____

② 진우는 소설책 88쪽을 읽고 있습니다. 88쪽은 몇 쪽과 몇 쪽 사이에 있을까요?

_____

③ 7월 21일과 7월 23일 사이에 있는 날은 7월 며칠일까요?

_____

④ 탁구공에 수를 순서대로 써넣었습니다. 44번 탁구공의 다음 탁구공은 몇 번일까
요?

_____

⑤ 수가 적힌 스티커를 번호 순서대로 붙였습니다. 71번 스티커는 몇 번과 몇 번 사이
에 있을까요?

_____

✏️ 다음 물음에 답하세요.

⑥ 화단에 장미가 83송이 있습니다. 튤립은 장미보다 1송이 더 많습니다. 화단에 있는 튤립은 몇 송이일까요?

_____

⑦ 혁오는 우표를 52장 모았습니다. 두리는 혁오보다 우표를 1장 더 적게 모았습니다. 두리가 모은 우표는 몇 장일까요?

_____

✏️ 다음 물음에 답하세요.

⑧ 색종이를 번호 순서대로 나란히 놓았습니다. 48번과 49번 색종이 사이에 있는 색종이는 몇 장일까요?

_____

⑨ 밤을 따서 번호를 순서대로 붙였습니다. 71번과 74번 밤 사이에 있는 밤은 모두 몇 개일까요?

_____

✎ 사물함에 번호를 순서대로 붙였습니다. 물음에 답하세요.

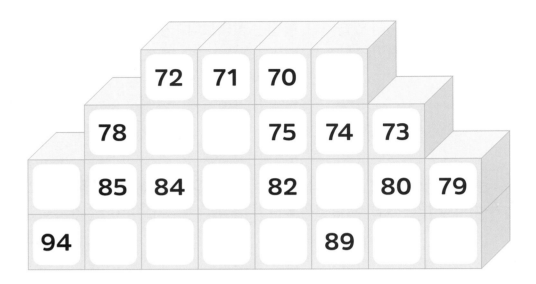

⑩ 70번 사물함 바로 오른쪽에 있는 사물함은 몇 번일까요?

_____

⑪ 84번 사물함 바로 아래에 있는 사물함은 몇 번일까요?

_____

⑫ 71번 사물함에서 아래로 3칸, 오른쪽으로 1칸 떨어진 곳에 있는 사물함은 몇 번일까요?

_____

⑬ 82번 사물함에서 왼쪽으로 1칸, 위로 1칸 떨어진 곳에 있는 사물함은 몇 번일까요?

_____

3주차

수의 크기 비교

큽니다, 작습니다

✿ 두 수의 크기를 비교해 보세요.

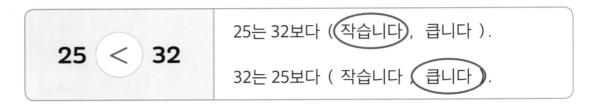

25 < **32**

25는 32보다 ((작습니다) , 큽니다).

32는 25보다 (작습니다 , (큽니다)).

---

①

44 ◯ **43**

44는 43보다 (작습니다 , 큽니다).

43은 44보다 (작습니다 , 큽니다).

---

②

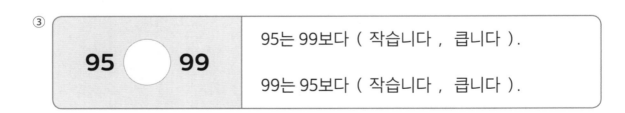

70 ◯ **68**

70은 68보다 (작습니다 , 큽니다).

68은 70보다 (작습니다 , 큽니다).

---

③

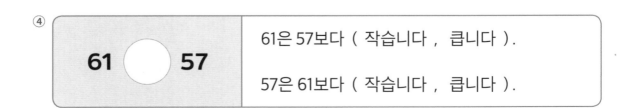

95 ◯ **99**

95는 99보다 (작습니다 , 큽니다).

99는 95보다 (작습니다 , 큽니다).

---

④

61 ◯ **57**

61은 57보다 (작습니다 , 큽니다).

57은 61보다 (작습니다 , 큽니다).

✿ 밑줄친 곳에 알맞은 말을 써넣으세요.

50은 58보다 **작습니다** .　　50 ⟨ < ⟩ 58

① 41은 39보다 _____ .

② 66은 62보다 _____ .

③ 86은 87보다 _____ .

④ 55는 47보다 _____ .

⑤ 22는 24보다 _____ .

🪲 두 수의 크기를 비교하여 > 또는 < 를 써넣으세요.

55 > 55보다 1 작은 수

55 > 54

①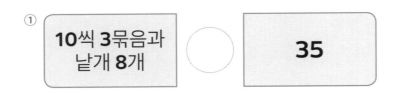

10씩 3묶음과 낱개 8개 ◯ 35

②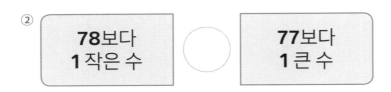

78보다 1 작은 수 ◯ 77보다 1 큰 수

③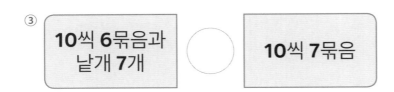

10씩 6묶음과 낱개 7개 ◯ 10씩 7묶음

④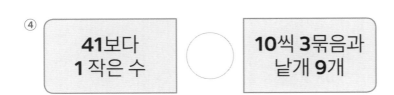

41보다 1 작은 수 ◯ 10씩 3묶음과 낱개 9개

다음 물음에 답하세요.

> 두 자리 수의 크기는 십의 자리, 일의 자리의 순서로 비교해.

지예는 구슬을 27개 가지고 있고, 은주는 구슬을 30개 가지고 있습니다. 구슬을 더 많이 가지고 있는 사람은 누구일까요?

은주

27 < 30

① 채소 가게에 감자가 82개 있고, 고구마는 감자보다 1개 더 많이 있습니다. 감자와 고구마 중 더 적은 것은 무엇일까요?

② 달걀이 10개씩 5상자 있고, 메추리알이 46개 있습니다. 달걀과 메추리알 중 더 많은 것은 무엇일까요?

③ 도토리를 가람이는 62개, 나은이는 70개보다 1개 더 적게 주웠습니다. 도토리를 더 적게 주운 사람은 누구일까요?

④ 빨강 색종이가 10장씩 8묶음, 파랑 색종이가 10장씩 7묶음과 낱개 8장 있습니다. 둘 중 더 많은 색종이는 무슨 색깔일까요?

🐝 가장 큰 수에 ○표, 가장 작은 수에 △표 하세요.

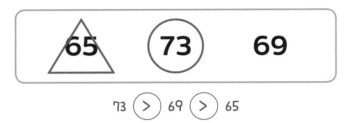

73 > 69 > 65

① 22   20   18

② 55   54   57

③ 80   85   76

④ 29   35   41

🐝 밑줄친 곳에 알맞은 말을 써넣으세요.

41, 49, 43 중 49가 가장 __큽니다__ .

49 (>) 43 (>) 41
가장   가장
큰 수   작은 수

① 90, 84, 78 중 78이 가장 _____ .

② 56, 62, 61 중 56이 가장 _____ .

③ 32, 28, 33 중 33이 가장 _____ .

④ 76, 77, 74 중 77이 가장 _____ .

⑤ 65, 70, 72 중 65가 가장 _____ .

🎨 세 수 중 가장 큰 수에 ○표, 가장 작은 수에 △표 하세요.

72	**68**	**68**보다 **1** 작은 수

72 ⟩ 68 ⟩ 67

①

37보다 **1** 큰 수	**37**	**40**

②

82	**10**씩 **8**묶음과 낱개 **7**개	**86**

③

52	**52**보다 **1** 큰 수	**10**씩 **5**묶음

다음 물음에 답하세요.

농장에서 복숭아를 연아는 45개, 두기는 52개 땄습니다. 민지는 연아보다 1개 더 많이 땄습니다. 셋 중 복숭아를 가장 적게 딴 사람은 누구일까요?

연아

52 (>) 46 (>) 45
두기　　　민지　　　연아

① 지아는 동화책을 월요일에 38쪽 읽었습니다. 화요일에는 월요일보다 1쪽 더 많이 읽었고, 수요일에는 화요일보다 1쪽 더 많이 읽었습니다. 동화책을 가장 많이 읽은 날은 무슨 요일일까요?

② 채소 가게에 가지가 27개, 애호박이 32개 있습니다. 오이는 10개씩 2묶음에 낱개로 9개 있습니다. 채소 가게에 가장 많은 채소는 무엇일까요?

③ 기현이는 우표를 64장 모았고, 소마는 기현이보다 우표를 1장 더 적게 모았습니다. 준우는 우표를 10개씩 7묶음 모았습니다. 셋 중 우표를 가장 적게 모은 사람은 누구일까요?

큰 순서대로

❀ 수의 크기를 비교하여 알맞게 이어 보세요.

①

44	50보다 1 큰 수	50

51 > 50 > 44

가장 큰 수	2번째로 큰 수	가장 작은 수

②

10씩 7묶음과 낱개 2개	76	76보다 1 큰 수

가장 큰 수	2번째로 큰 수	가장 작은 수

③

39	10씩 4묶음	35보다 1 작은 수	35

가장 큰 수	2번째로 큰 수	3번째로 큰 수	가장 작은 수

주어진 수를 모두 두 자리 수로 나타낸 후 크기를 비교해 봐.

✿ 다음 물음에 답하세요.

칭찬 스티커를 1반 학생들은 68장, 2반 학생들은 65장 모았습니다. 3반 학생들은 1반보다 1장 더 적게 모았습니다. 칭찬 스티커를 많이 모은 순서대로 반 이름을 써 보세요.

68 ⟩ 67 ⟩ 65
1반   3반   2반

__1반__ , __3반__ , __2반__

① 과수원에서 사과를 91개, 배를 10개씩 8봉지와 낱개로 8개 땄습니다. 복숭아는 사과보다 1개 더 많이 땄습니다. 과일을 많이 딴 순서대로 이름을 써 보세요.

_____ , _____ , _____

② 만화책을 월요일에 32쪽, 화요일에 40쪽 읽었습니다. 수요일에는 월요일보다 1쪽 더 많이, 목요일에는 화요일보다 1쪽 더 적게 읽었습니다. 만화책을 많이 읽은 순서대로 요일을 써 보세요.

_____ , _____ , _____ , _____

✏️ 두 수의 크기를 비교해 보세요.

① **50** ◯ **48**

50은 48보다 (작습니다 , 큽니다).

48은 50보다 (작습니다 , 큽니다).

② **63** ◯ **65**

63은 65보다 (작습니다 , 큽니다).

65는 63보다 (작습니다 , 큽니다).

✏️ 다음 물음에 답하세요.

③ 농장에서 사과를 희준이는 75개, 연지는 74개 땄습니다. 사과를 더 적게 딴 사람은 누구일까요?

_____

④ 책장에 동화책이 10권씩 4묶음, 만화책이 40권보다 1권 더 적게 있습니다. 동화책과 만화책 중 더 많은 것은 무엇일까요?

_____

✎ 밑줄친 곳에 알맞은 말을 써넣으세요.

⑤ 93, 96, 91 중 96이 가장 _____.

⑥ 54, 60, 66 중 54가 가장 _____.

⑦ 27, 35, 29 중 35가 가장 _____.

✎ 다음 물음에 답하세요.

⑧ 줄넘기를 수빈이는 71번 했습니다. 송이는 수빈이보다 1개 더 적게 했고, 마음이는 수빈이보다 1개 더 많이 했습니다. 셋 중 줄넘기를 가장 많이 한 사람은 누구일까요?

_____

⑨ 꽃 가게에 장미가 10송이씩 4다발, 튤립이 10송이씩 4다발과 낱개로 3송이 있습니다. 국화는 장미보다 1송이 더 적습니다. 셋 중 가장 적은 꽃은 무엇입니까?

_____

✏️ 다음 물음에 답하세요.

⑩ 우람이는 구슬을 42개 가지고 있고, 진아는 구슬을 39개 가지고 있습니다. 기준이 가 가진 구슬은 10개씩 4묶음입니다. 구슬을 많이 가진 순서대로 이름을 써 보세 요.

_____ , _____ , _____

⑪ 학교 도서관에 동화책이 87권 있고, 위인전은 동화책보다 1권 더 많이 있습니다. 소설책은 10권씩 9묶음에 낱개로 2권 있습니다. 책이 더 많은 순서대로 이름을 써 보세요.

_____ , _____ , _____

⑫ 빨강, 파랑, 노랑 색종이가 각각 61장, 54장, 66장 있습니다. 초록 색종이는 파랑 색종이보다 1장 더 많습니다. 색종이가 많은 순서대로 색깔을 써 보세요.

_____ , _____ , _____ , _____

4주차

뛰어 세기

10씩 뛰어 세기

✿ 10씩 여러 번 뛰어 센 수를 구하세요.

10에서 10씩 4번 뛰어 센 수는 __50__ 입니다.

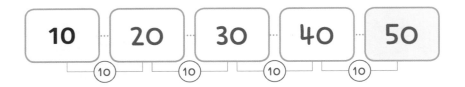

① 55에서 10씩 3번 뛰어 센 수는 _____ 입니다.

55	65	75	

② 42에서 10씩 4번 뛰어 센 수는 _____ 입니다.

42	52			

③ 29에서 10씩 5번 뛰어 센 수는 _____ 입니다.

10씩 뛰어 세면
십의 자리 숫자만
1씩 커지지.

✿ 다음 물음에 답하세요.

기현이는 스티커 23장을 가지고 있습니다. 하루에 스티커를 10장씩 더 모으려고
합니다. 3일 후에 기현이가 가진 스티커는 모두 몇 장일까요?

53장

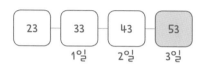

1일   2일   3일

① 과일 가게에 사과가 36개 있습니다. 사과를 10개씩 2봉지 더 가져 오면 사과는 모
두 몇 개가 될까요?

② 어제까지 동화책을 51쪽 읽었습니다. 오늘부터 하루에 동화책을 10쪽씩 더 읽으
려고 합니다. 4일 후까지 읽은 동화책은 모두 몇 쪽일까요?

③ 쌓기나무 18개가 쌓여 있습니다. 쌓기나무를 10개씩 5번 더 쌓으면 쌓기나무는
모두 몇 개가 될까요?

2씩 뛰어 세기

🐞 2씩 여러 번 뛰어 센 수를 구하세요.

22에서 2씩 2번 뛰어 센 수는 __26__ 입니다.

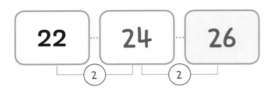

① 35에서 2씩 4번 뛰어 센 수는 _____ 입니다.

② 78에서 2씩 3번 뛰어 센 수는 _____ 입니다.

③ 51에서 2씩 5번 뛰어 센 수는 _____ 입니다.

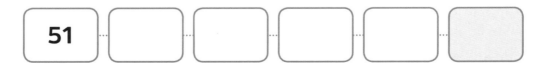

다음 물음에 답하세요.

짝수부터 2씩 뛰면 항상 짝수, 홀수부터 2씩 뛰면 항상 홀수야.

화단에 장미가 69송이 피어 있습니다. 하루에 장미는 2송이씩 더 핀다고 합니다. 5일 후에 화단에 있는 장미는 모두 몇 송이일까요?

79송이

69 — 71 (1일) — 73 (2일) — 75 (3일) — 77 (4일) — 79 (5일)

① 지우는 어제까지 달걀을 24개 모았습니다. 지우네 집 닭들이 하루에 달걀을 2개씩 낳는다고 합니다. 3일 후까지 지우가 모은 달걀은 모두 몇 개일까요?

② 놀이 공원 앞에 37명의 사람들이 줄을 서 있습니다. 사람들이 2명씩 4번 더 오면 줄을 서 있는 사람은 모두 몇 명이 될까요?

③ 현우네 집에 젓가락이 18개 있었습니다. 엄마가 젓가락을 4쌍 더 사 왔습니다. 현우네 집에 있는 젓가락은 모두 몇 개일까요?

3일 5씩 뛰어 세기

🐝 5씩 여러 번 뛰어 센 수를 구하세요.

71에서 5씩 3번 뛰어 센 수는 __86__ 입니다.

① 15에서 5씩 2번 뛰어 센 수는 _____ 입니다.

② 49에서 5씩 5번 뛰어 센 수는 _____ 입니다.

③ 63에서 5씩 4번 뛰어 센 수는 _____ 입니다.

일의 자리가 1, 6, 1, 6과 같이 5 차이나는 숫자가 반복되고 있지?

🐝 다음 물음에 답하세요.

우상이는 수학 문제를 45문제 풀었습니다. 수학 문제는 1쪽에 5문제씩 있습니다. 수학 문제를 4쪽 더 풀면 우상이가 푼 수학 문제는 모두 몇 문제가 될까요?

65문제

| 45 | 50 | 55 | 60 | 65 |

1쪽 2쪽 3쪽 4쪽

① 캠핑장에 학생들이 61명 있습니다. 학생들이 5명씩 3모둠 더 오면 캠핑장에 있는 학생들은 모두 몇 명이 될까요?

_____

② 주민이는 우표를 32장 모았습니다. 오늘부터 우표를 하루에 5장씩 더 모으려고 합니다. 2일 후까지 주민이가 모은 우표는 모두 몇 장일까요?

_____

③ 냉장고에 귤이 38개 있었습니다. 냉장고에 귤을 1봉지에 5개씩 5봉지 더 넣으면 귤은 모두 몇 개가 될까요?

_____

🍪 뛰어 세기 전 원래 수를 구하세요.

_____**33**_____ 에서 10씩 4번 뛰어 센 수는 73입니다.

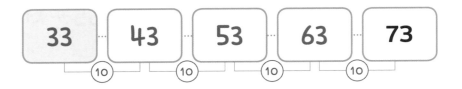

① _____ 에서 2씩 3번 뛰어 센 수는 46입니다.

② _____ 에서 5씩 5번 뛰어 센 수는 91입니다.

③ _____ 에서 10씩 2번 뛰어 센 수는 27입니다.

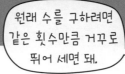

원래 수를 구하려면 같은 횟수만큼 거꾸로 뛰어 세면 돼.

 다음 물음에 답하세요.

사과를 10개씩 5상자 더 땄더니 사과가 모두 72개가 되었습니다. 원래 있던 사과는 몇 개일까요?

22개

① 정후가 오늘부터 하루에 동전을 10개씩 모으면 4일 후에 동전이 모두 49개가 됩니다. 정후가 원래 가지고 있던 동전은 몇 개일까요?

② 하루에 사과가 2개씩 열리는 사과나무가 있습니다. 3일 후에 사과나무에 열린 사과가 모두 67개일 때, 사과나무에 원래 있던 사과는 몇 개일까요?

③ 큰 어항에 열대어를 1봉지에 5마리씩 4봉지 더 넣었더니 열대어가 모두 97마리가 되었습니다. 어항에 원래 있던 열대어는 몇 마리일까요?

✿ 몇 번 뛰어 세었는지 구하세요.

19에서 5씩 __5__ 번 뛰어 센 수는 44입니다.

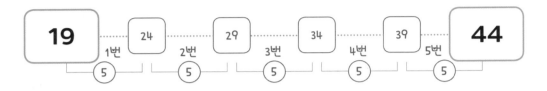

① 79에서 2씩 _____ 번 뛰어 센 수는 83입니다.

② 35에서 10씩 _____ 번 뛰어 센 수는 65입니다.

③ 62에서 5씩 _____ 번 뛰어 센 수는 82입니다.

왼쪽 수에서 오른쪽 수가 나올 때까지 뛰어 센 횟수를 구해 봐.

❀ 다음 물음에 답하세요.

냉장고에 굴비가 12마리 있습니다. 1묶음에 5마리인 굴비를 몇 묶음 더 샀더니 굴비가 모두 32마리가 되었습니다. 더 산 굴비는 몇 묶음일까요?

4묶음

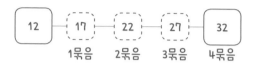

1묶음 2묶음 3묶음 4묶음

① 우혁이는 구슬을 75개 가지고 있습니다. 하루에 구슬을 2개씩 더 모아서 구슬이 모두 83개가 되려면 며칠 더 모아야 할까요?

② 화단에 나무가 23그루 있는데 53그루까지 늘리려고 합니다. 한 번에 10그루씩 몇 번 더 심어야 할까요?

③ 하루에 5송이씩 늘어나는 연꽃이 있습니다. 연꽃이 39송이에서 49송이가 되려면 며칠이 더 걸릴까요?

4주: 뛰어 세기 **57**

✎ 색칠한 빈칸과 밑줄친 곳에 알맞은 수를 써넣으세요.

① 38에서 10씩 2번 뛰어 센 수는 _____ 입니다.

38		

② 89에서 2씩 4번 뛰어 센 수는 _____ 입니다.

89				

③ 57에서 5씩 3번 뛰어 센 수는 _____ 입니다.

57			

④ _____ 에서 2씩 5번 뛰어 센 수는 60입니다.

					60

✏️ 다음 물음에 답하세요.

⑤ 주아는 어제까지 연산 문제를 40문제 풀었습니다. 오늘부터 하루에 연산 문제를 10문제씩 더 풀려고 합니다. 5일 후까지 푼 연산 문제는 모두 몇 문제일까요?

_____

⑥ 체육실에 야구공이 17개 있습니다. 야구공을 5개씩 4번 더 사면 체육실에 있는 야구공은 모두 몇 개가 될까요?

_____

⑦ 연지는 종이학을 73장 접었습니다. 연지가 1시간에 종이학을 2장씩 접으려고 합니다. 3시간 후까지 접은 종이학은 모두 몇 장일까요?

_____

⑧ 장우네 반 학생들이 고구마를 40개 캤습니다. 한 사람이 고구마를 5개씩 3명이 더 캐면 고구마는 모두 몇 개가 될까요?

_____

✎ 다음 물음에 답하세요.

⑨ 공원에 나무를 2그루씩 5번 더 심었더니 나무가 모두 55그루가 되었습니다. 원래 공원에 있던 나무는 몇 그루일까요?

＿＿＿＿＿＿＿

⑩ 냉장고에 홍시를 5개씩 3봉지 더 넣었더니 홍시가 모두 31개가 되었습니다. 원래 냉장고에 있던 홍시는 몇 개일까요?

＿＿＿＿＿＿＿

⑪ 나무에 매달린 매미가 하루에 2마리씩 늘어납니다. 매미가 25마리에서 31마리가 되려면 며칠이 더 걸릴까요?

＿＿＿＿＿＿＿

⑫ 서랍에 있는 장갑의 손가락 수를 세어 보니 30개입니다. 손가락 수가 80개가 되려면 장갑을 몇 켤레 더 넣어야 할까요?

＿＿＿＿＿＿＿

진단평가

진단평가에는 앞에서 학습한 4주차의 문장제 활동이 순서대로 나옵니다. 잘못 푼 문제가 있으면 몇 주차인지 확인하여 반드시 한 번 더 복습해 봅니다.

1주차

3주차

2주차

4주차

✎ 밑줄친 곳에 알맞은 수를 써넣으세요.

① 60은 10개씩 _____ 묶음입니다.

② 10개씩 4묶음은 _____ 입니다.

③ 10은 10개씩 _____ 묶음입니다.

✎ 수 배열의 규칙을 찾아 빈 곳을 알맞게 채워 보세요.

④

	46	48	50	52		56	58	
45	47	49				57		61

⑤

99	98	97	96	95		
	92		90	89		
		87				

✎ 다음 물음에 답하세요.

⑥ 동물 농장에 소가 19마리, 돼지가 28마리, 오리가 23마리 있습니다. 셋 중 가장 많은 동물은 무엇일까요?

_____

⑦ 아린이는 고구마를 10개씩 5봉지 캤고, 도연이는 10개씩 4봉지에 낱개로 8개를 캤습니다. 강우는 도연이보다 1개 더 많이 캤습니다. 셋 중 고구마를 가장 적게 캔 사람은 누구일까요?

_____

✎ 다음 물음에 답하세요.

⑧ 도토리나무에 도토리가 64개 열려 있습니다. 도토리는 하루에 5개씩 더 열린다고 합니다. 2일 후에 도토리나무에 열린 도토리는 모두 몇 개일까요?

_____

⑨ 정원에 나무가 23그루 있습니다. 나무를 1줄에 5그루씩 5줄 더 심으면 정원에 있는 나무는 모두 몇 그루가 될까요?

_____

✎ 다음 물음에 답하세요.

① 구슬이 한 주머니에 10개씩 들어 있습니다. 주머니 5개에 들어 있는 구슬은 모두 몇 개일까요?

_____

② 나무가 한 줄에 10그루씩 심어져 있습니다. 8줄에 심은 나무는 모두 몇 그루일까요?

_____

✎ 다음 물음에 답하세요.

③ 의자 뒤에 순서대로 번호를 쓰면서 놓았습니다. 68번 의자 앞에 놓은 의자는 몇 번일까요?

_____

④ 은행에서 51번 번호표를 뽑았습니다. 바로 뒤에 번호표를 뽑은 사람은 몇 번일까요?

_____

✎ 다음 물음에 답하세요.

⑤ 옷 가게에 셔츠가 33벌 있습니다. 바지는 셔츠보다 1벌 더 적고, 치마는 바지보다 1벌 더 적습니다. 옷이 더 많은 순서대로 이름을 써 보세요.

_____ , _____ , _____

⑥ 국제 어린이 학교에 중국 학생이 53명, 미국 학생은 60명 있습니다. 한 모둠에 10명씩 모았을 때 일본 학생은 5모둠에 5명이 남고, 한국 학생은 4모둠에 9명이 남습니다. 학생이 더 많은 나라 순서대로 이름을 써 보세요.

_____ , _____ , _____ , _____

✎ 다음 물음에 답하세요.

⑦ 래원이가 오늘부터 하루에 우표를 10장씩 모으면 5일 후에 우표가 모두 80장이 됩니다. 래원이가 원래 가지고 있던 우표는 몇 장일까요?

_____

⑧ 우리에 오리 2마리를 더 넣었더니 오리의 다리 수는 모두 62개가 되었습니다. 원래 우리에 있던 오리의 다리 수는 몇 개일까요?

_____

✎ 밑줄친 곳에 알맞은 수를 써넣으세요.

① 10개씩 5묶음과 낱개 6개는 _____ 입니다.

② 10개씩 1묶음과 낱개 8개는 _____ 입니다.

③ 69는 10개씩 _____ 묶음과 낱개 _____ 개입니다.

✎ 다음 물음에 답하세요.

④ 지은이는 장거리 달리기 경기에서 45등으로 들어왔습니다. 지은이는 몇 등과 몇 등 선수 사이에 들어왔을까요?

_____

⑤ 가로수에 번호표를 붙였습니다. 58번과 60번 가로수 사이에 있는 가로수는 몇 번일까요?

_____

✎ 두 수의 크기를 비교해 보세요.

⑥

88 ◯ 89

88은 89보다 (작습니다 , 큽니다).

89는 88보다 (작습니다 , 큽니다).

⑦

33 ◯ 29

33은 29보다 (작습니다 , 큽니다).

29는 33보다 (작습니다 , 큽니다).

✎ 다음 물음에 답하세요.

⑧ 저금통에 동전이 36개 있습니다. 하루에 동전을 5개씩 더 모아서 동전이 모두 61개가 되려면 며칠 더 모아야 할까요?

⑨ 민희네 반 아이들이 복숭아를 47개 땄습니다. 한 사람이 10개씩 더 따서 복숭아가 모두 67개가 되려면 복숭아를 몇 명이 더 따야 할까요?

✎ 다음 물음에 답하세요.

① 음료수가 한 상자에 10병씩 1상자 있고 2병 더 있습니다. 음료수는 모두 몇 병일까요?

_____

② 두리는 우표를 10장씩 4세트 모았고 6장 더 모았습니다. 두리가 모은 우표는 모두 몇 장일까요?

_____

✎ 다음 물음에 답하세요.

③ 운동장에 여학생이 61명 있습니다. 남학생은 여학생보다 1명 더 적습니다. 운동장에 있는 남학생은 몇 명일까요?

_____

④ 농장에 돼지가 32마리 있습니다. 소는 돼지보다 1마리 더 많습니다. 농장에 있는 소는 몇 마리일까요?

_____

✎ 다음 물음에 답하세요.

⑤ 연필을 아름이는 10자루씩 4묶음과 낱개로 8자루, 현아는 10자루씩 5묶음 가지고 있습니다. 연필을 더 많이 가지고 있는 사람은 누구일까요?

_____

⑥ 동물 카페에 강아지가 36마리 있고, 고양이는 강아지보다 1마리 더 적습니다. 강아지와 고양이 중 더 적은 것은 무엇일까요?

_____

✎ 다음 물음에 답하세요.

⑦ 저금통에 동전이 7개 있습니다. 동전을 10개씩 4번 더 넣으면 동전은 모두 몇 개가 될까요?

_____

⑧ 연못에 올챙이가 29마리 있습니다. 올챙이는 하루에 10마리씩 늘어난다고 합니다. 3일 후에 연못에 있는 올챙이는 모두 몇 마리일까요?

_____

✎ 다음 물음에 답하세요.

① 만두 97개를 한 상자에 10개씩 넣으려고 합니다. 만두는 몇 상자가 되고, 몇 개가 남을까요?

_____

② 셔츠 46벌을 한 봉투에 10벌씩 담으려고 합니다. 셔츠는 몇 봉투에 담게 되고, 몇 벌이 남을까요?

_____

✎ 다음 물음에 답하세요.

③ 옷 가게에서 셔츠를 번호 순서대로 정리했습니다. 53번과 57번 셔츠 사이에는 셔츠가 모두 몇 벌 있을까요?

_____

④ 8월 25일과 8월 31일 사이에는 모두 며칠이 있을까요?

_____

✏️ 밑줄친 곳에 알맞은 말을 써넣으세요.

⑤ 63, 49, 52 중 63이 가장 _____ .

⑥ 85, 80, 93 중 80이 가장 _____ .

⑦ 75, 69, 81 중 81이 가장 _____ .

✏️ 다음 물음에 답하세요.

⑧ 서랍 안에 양말이 31개 있습니다. 서랍에 양말을 2켤레 더 넣으면 양말은 모두 몇 개가 될까요?

_____

⑨ 어제까지 민국이가 마신 우유는 42잔입니다. 오늘부터 하루에 2잔씩 우유를 마시려고 합니다. 민국이가 5일 후까지 마신 우유는 모두 몇 잔일까요?

_____

하루 10분 서술형/문장제 학습지

씨투엠

수학 독해

정답

A1
100까지의 수

초1~초2

Creative to Math
씨투엠

정답

A1 100까지의 수
초1~초2

P 06 ~ 07

1일 10 묶음

> 열, 스물, 서른,
> 마흔, 쉰, 예순, 일흔,
> 여든, 아흔, 백!

❀ 별의 수를 세어 보세요.

	30
①	**40**
②	**50**
③	**60**
④	**70**
⑤	**80**

❀ 밑줄친 곳에 알맞은 수를 써넣으세요.

10개씩 9묶음은 __90__ 입니다.

① 10개씩 3묶음은 __30__ 입니다.

② 10개씩 8묶음은 __80__ 입니다.

③ 20은 10개씩 __2__ 묶음입니다.

④ 70은 10개씩 __7__ 묶음입니다.

⑤ 100은 10개씩 __10__ 묶음입니다.

P 08 ~ 09

2일 묶음이 모두 몇

> 문제에 답할 때는
> 항상 단위를 빠트
> 리지 않아야 해.

❀ 10개씩 묶어 세어 보고 밑줄친 곳에 알맞은 수를 써넣으세요.

10개씩 묶음이 __5__ 개이므로 __50__ 입니다.

① 10개씩 묶음이 __4__ 개이므로 __40__ 입니다.

② 10개씩 묶음이 __7__ 개이므로 __70__ 입니다.

③ 10개씩 묶음이 __8__ 개이므로 __80__ 입니다.

❀ 다음 물음에 답하세요.

야구공이 한 상자에 10개씩 담겨 있습니다. 상자 6개에 있는 야구공은 모두 몇 개일까요?

__60개__

(10)-(20)-(30)-(40)-(50)-(60)

① 의자가 한 줄에 10개씩 놓여 있습니다. 9줄에 놓인 의자는 모두 몇 개일까요?

__90개__

② 진아는 우표를 10장씩 4묶음 가지고 있습니다. 진아가 가진 우표는 모두 몇 장일까요?

__40장__

③ 별사탕이 한 봉지에 10개씩 들어 있습니다. 10봉지에 있는 별사탕은 모두 몇 개일까요?

__100개__

④ 연필을 필통에 10자루씩 넣었습니다. 필통 3개에 있는 연필은 모두 몇 자루일까요?

__30자루__

P 10 ~ 11

3일 10 묶음과 낱개

수 배열 이심상 또는 스물셋으로 읽을 수 있어.

🐝 묶음과 낱개를 각각 세어 보고 알맞은 수를 써넣으세요.

10개씩 묶음	낱개	수
4	7	47

10개씩 묶음	낱개	수
5	5	55

10개씩 묶음	낱개	수
7	6	76

10개씩 묶음	낱개	수
8	3	83

🐝 밑줄친 곳에 알맞은 수를 써넣으세요.

10개씩 2묶음과 낱개 3개는 __23__ 입니다.

① 10개씩 9묶음과 낱개 1개는 __91__ 입니다.

② 10개씩 6묶음과 낱개 4개는 __64__ 입니다.

③ 19는 10개씩 __1__ 묶음과 낱개 9개입니다.

④ 72는 10개씩 7묶음과 낱개 __2__ 개입니다.

⑤ 38은 10개씩 __3__ 묶음과 낱개 __8__ 개입니다.

P 12 ~ 13

4일 묶음과 낱개가 모두 몇

묶음의 수와 낱개의 수를 나란히 쓰면 전체 수가 나오지.

🐝 묶음과 낱개를 각각 세어 보고 밑줄친 곳에 알맞은 수를 써넣으세요.

10개씩 묶음 __6__ 개와 낱개 __3__ 개이므로 __63__ 입니다.

① 10개씩 묶음 __8__ 개와 낱개 __4__ 개이므로 __84__ 입니다.

② 10개씩 묶음 __3__ 개와 낱개 __9__ 개이므로 __39__ 입니다.

③ 10개씩 묶음 __2__ 개와 낱개 __7__ 개이므로 __27__ 입니다.

🐝 다음 물음에 답하세요.

밤이 10개씩 묶음 4개와 낱개 5개가 있습니다. 밤은 모두 몇 개일까요?
__45개__

① 학생들이 10명씩 2개 모둠을 만들면 8명이 남습니다. 학생들은 모두 몇 명일까요?
__28명__

② 은아가 줄넘기를 10번씩 7세트를 하였고 2번 더 하였습니다. 은아가 한 줄넘기는 모두 몇 번일까요?
__72번__

③ 도넛이 한 상자에 10개씩 5상자 있고 1개 더 있습니다. 도넛은 모두 몇 개일까요?
__51개__

④ 장미가 한 다발에 10송이씩 3다발 있고 3송이 더 있습니다. 장미는 모두 몇 송이일까요?
__33송이__

정답 3

P 14 ~ 15

5일 몇 묶음과 몇 개

두 자리 수에서 십의 자리 숫자는 10개씩 묶음의 수와 같아.

❀ 풍선을 10개씩 묶으면 몇 묶음이 되고 몇 개가 남는지 구하세요.

10개씩 묶으면 __2__ 묶음이 되고 __6__ 개가 남습니다.

①

10개씩 묶으면 __4__ 묶음이 되고 __4__ 개가 남습니다.

②

10개씩 묶으면 __4__ 묶음이 되고 __0__ 개가 남습니다.

❀ 다음 물음에 답하세요.

사과 35개를 한 상자에 10개씩 담으려고 합니다. 사과는 몇 상자가 되고 몇 개가 남을까요?

35
30 5
3상자 5개

3상자, 5개

① 튤립 63송이를 한 다발에 10송이씩 묶으려고 합니다. 튤립은 몇 다발이 되고 몇 송이가 남을까요?

6다발, 3송이

② 연필 78자루를 고무줄로 10개씩 묶으려고 합니다. 연필은 몇 묶음이 되고 몇 자루가 남을까요?

7묶음, 8자루

③ 구슬이 52개 있습니다. 구슬을 10개씩 꿰어 팔찌를 만들려고 합니다. 팔찌는 몇 개가 되고 구슬은 몇 개 남을까요?

5개, 2개

④ 학생 80명을 10명씩 모둠으로 나누려고 합니다. 학생들은 몇 모둠이 되고 몇 명이 남을까요?

8모둠, 0명

P 16 ~ 17

확인학습

✎ 밑줄친 곳에 알맞은 수를 써넣으세요.

① 10개씩 5묶음은 __50__ 입니다.

② 10개씩 7묶음과 낱개 2개는 __72__ 입니다.

③ 90은 10개씩 __9__ 묶음입니다.

④ 49는 10개씩 __4__ 묶음과 낱개 9개입니다.

⑤ 88은 10개씩 8묶음과 낱개 __8__ 개입니다.

⑥ 10개씩 10묶음은 __100__ 입니다.

✎ 다음 물음에 답하세요.

⑦ 아현이는 색연필을 10자루씩 2묶음 가지고 있습니다. 아현이가 가진 색연필은 모두 몇 자루일까요?

20자루

⑧ 학생들이 한 줄에 10명씩 6줄 서 있고 7명 더 있습니다. 학생들은 모두 몇 명일까요?

67명

⑨ 냉장고에 귤이 10개씩 8봉지와 5개 더 있습니다. 귤은 모두 몇 개일까요?

85개

⑩ 배추김치를 김치통에 10포기씩 넣었습니다. 김치통 7개에 있는 배추김치는 모두 몇 포기일까요?

70포기

⑪ 탁구공이 10개씩 묶음 9개와 낱개 8개가 있습니다. 탁구공은 모두 몇 개일까요?

98개

P 18

확인학습

✎ 다음 물음에 답하세요.

⑫ 달걀 31개를 한 상자에 10개씩 담으려고 합니다. 달걀은 몇 상자에 담게 되고 몇 개가 남을까요?

3상자, 1개

⑬ 풍선 94개를 10개씩 묶으려고 합니다. 풍선은 몇 묶음이 되고 몇 개가 남을까요?

9묶음, 4개

⑭ 주사위 100개를 한 통에 10개씩 담으려고 합니다. 모두 담으면 몇 통에 담고 몇 개가 남을까요?

10통, 0개

⑮ 색종이 29장을 한 봉지에 10장씩 넣으려고 합니다. 색종이는 몇 봉지에 넣게 되고 몇 장이 남을까요?

2봉지, 9장

18 A1-100까지의 수

P 20 ~ 21

1일　앞의 수와 뒤의 수

일의 자리 숫자가
ᄂ,2,3,4,5,6,7,8,9
이 반복되지.

❀ 빈칸과 밑줄친 곳에 알맞은 수를 써넣으세요.

| 20 | 21 | 22 | 23 | 24 |

23 뒤에 있는 수는 __24__ 입니다.

①

| 45 | 46 | 47 | 48 | 49 |

48 뒤에 있는 수는 __49__ 입니다.

②

| 69 | 70 | 71 | 72 | 73 |

70 앞에 있는 수는 __69__ 입니다.

③

| 56 | 57 | 58 | 59 | 60 |

57 앞에 있는 수는 __56__ 입니다.

❀ 다음 물음에 답하세요.

유리네 반 학생들이 번호 순서대로 서 있습니다. 유리가 35번일 때 유리 다음에 서 있는 학생은 몇 번일까요?　__36번__

(34)-(35)-(36)

① 깃발을 번호 순서대로 세웠습니다. 89번 깃발 다음에 있는 깃발은 몇 번일까요?　__90번__

② 바둑돌을 하나씩 수를 세면서 놓았습니다. 40번 바둑돌 앞에 놓은 바둑돌은 몇 번일까요?　__39번__

③ 주민센터에서 73번 번호표를 뽑았습니다. 바로 앞에서 번호표를 뽑은 사람은 몇 번일까요?　__72번__

④ 오늘은 4월 27일입니다. 내일은 4월 며칠일까요?　__28일__

P 22 ~ 23

2일　몇 번과 몇 번 사이

연속하는 세 수에서
양 끝 수 사이의 수는
가운데 수야.

❀ 빈칸과 밑줄친 곳에 알맞은 수를 써넣으세요.

| 36 | 37 | 38 | 39 | 40 |

38은 __37__ 과 __39__ 사이에 있습니다.

①

| 91 | 92 | 93 | 94 | 95 |

93은 __92__ 와 __94__ 사이에 있습니다.

②

| 54 | 55 | 56 | 57 | 58 |

55와 57 사이에 있는 수는 __56__ 입니다.

③

| 29 | 30 | 31 | 32 | 33 |

30과 32 사이에 있는 수는 __31__ 입니다.

❀ 다음 물음에 답하세요.

세탁소에서 바지를 번호 순서대로 정리했습니다. 66번과 68번 사이에 있는 바지는 몇 번일까요?　__67번__

(66)-(67)-(68)

① 기수네 반 학생들이 번호 순서대로 앉아 있습니다. 기수가 24번일 때 기수는 몇 번과 몇 번 학생 사이에 앉아 있을까요?　__23번, 25번__

② 수 카드가 번호 순서대로 놓여 있습니다. 79번과 81번 수 카드 사이에 있는 카드는 몇 번일까요?　__80번__

③ 동화책에서 37쪽은 몇 쪽과 몇 쪽 사이에 있을까요?　__36쪽, 38쪽__

④ 양계장에서 달걀에 번호를 순서대로 써넣었습니다. 98번과 100번 달걀 사이에 있는 달걀은 몇 번일까요?　__99번__

P 24 ~ 25

3일 1 큰 수와 1 작은 수

어떤 수 알의 수는 1 작은 수와 같고, 뒤의 수는 1 큰 수와 같아.

🐝 그림을 보고 물음에 답하세요.

52 — 53 — **54** — ○ — ○ — **57** — ○ — **59**

52보다 1 큰 수는 얼마일까요? — **53**

① 57보다 1 작은 수는 얼마일까요? — **56**

② 54보다 1 큰 수는 얼마일까요? — **55**

○ — ○ — **72** — **73** — ○ — **75** — ○ — **77**

③ 77보다 1 작은 수는 얼마일까요? — **76**

④ 73보다 1 큰 수는 얼마일까요? — **74**

⑤ 72보다 1 작은 수는 얼마일까요? — **71**

🐝 다음 물음에 답하세요.

지연이는 색종이를 30장 가지고 있습니다. 레이는 지연이보다 색종이를 1장 더 가지고 있습니다. 레이가 가진 색종이는 몇 장일까요? — **31장**

29 — 30 — 31

① 과일 가게에 사과가 78개 있습니다. 귤은 사과보다 1개 더 많습니다. 과일 가게에 있는 귤은 몇 개일까요? — **79개**

② 흰 바둑돌이 43개 있습니다. 검은 바둑돌은 흰 바둑돌보다 1개 더 적습니다. 검은 바둑돌은 몇 개일까요? — **42개**

③ 지아는 어제 줄넘기를 97번 했습니다. 오늘은 어제보다 줄넘기를 1번 더 적게 했습니다. 지아가 오늘 한 줄넘기는 몇 번일까요? — **96번**

④ 호진이는 감자를 27개 캤습니다. 고구마는 감자보다 1개 더 많이 캤습니다. 호진이가 캔 고구마는 몇 개일까요? — **28개**

P 26 ~ 27

4일 사이의 수

사이의 수를 구할 때는 작은 수부터 큰 수까지 순서대로 써 봐.

🐌 그림을 보고 물음에 답하세요.

84 — **85** — **86** — **87** — **88** — **89** — **90** — **91**

84와 87 사이에 있는 수를 모두 구하세요. — **85, 86**

① 86과 90 사이에 있는 수는 모두 몇 개일까요? — **3개**

② 88과 91 사이에 있는 수를 모두 구하세요. — **89, 90**

39 — **40** — **41** — **42** — **43** — **44** — **45** — **46**

③ 43과 45 사이에 있는 수는 모두 몇 개일까요? — **1개**

④ 39와 42 사이에 있는 수를 모두 구하세요. — **40, 41**

⑤ 40과 43 사이에 있는 수는 모두 몇 개일까요? — **2개**

🐌 다음 물음에 답하세요.

수 카드가 번호 순서대로 놓여 있습니다. 54번과 57번 수 카드 사이에 있는 카드는 모두 몇 장일까요? — **2장**

54 — **55** — **56** — 57
1장   2장

① 소설책 79쪽과 84쪽 사이에는 모두 몇 쪽이 있을까요? — **4쪽**

② 학생들이 번호 순서대로 서 있습니다. 18번과 20번 학생 사이에는 모두 몇 명이 있을까요? — **1명**

③ 구슬을 번호 순서대로 꿰었습니다. 60번과 66번 구슬 사이에 있는 구슬은 모두 몇 개일까요? — **5개**

④ 마라톤 경기에서 32등과 36등 사이에는 모두 몇 명이 들어왔을까요? — **3명**

P 28 ~ 29

5일 순서대로 배열

> 수가 어느 방향으로 커지거나 작아지는지 먼저 알아내야 해.

❀ 수 배열의 규칙을 찾아 빈 곳을 알맞게 채워 보세요.

①

		21	22	23		
	24	25	26	27	28	
29	30	31	32	33	34	35

②

36	39	42	45	48	51	54
37	40	43	46	49	52	55
38	41	44	47	50	53	56

③

	57	58	59	60	61	
62	63	64	65	66	67	68
69	70	71	72	73	74	75	76	77
	78	79	80	81	82	83	84

❀ 사물함에 번호를 순서대로 붙였습니다. 물음에 답하세요.

44	48			60		
43	47					67
42	46	50			62	66
41	45	49	53		61	65

50번 사물함 바로 위에 있는 사물함은 몇 번일까요?

51번

① 67번 사물함 바로 왼쪽에 있는 사물함은 몇 번일까요?

63번

② 48번 사물함에서 오른쪽으로 2칸, 아래로 1칸 떨어진 곳에 있는 사물함은 몇 번일까요?

55번

③ 61번 사물함에서 왼쪽으로 1칸, 위로 2칸 떨어진 곳에 있는 사물함은 몇 번일까요?

59번

P 30 ~ 31

확인학습

✎ 다음 물음에 답하세요.

① 강아지들이 번호 순서대로 서 있습니다. 67번 강아지 앞에 서 있는 강아지는 몇 번일까요?

66번

② 진우는 소설책 88쪽을 읽고 있습니다. 88쪽은 몇 쪽과 몇 쪽 사이에 있을까요?

87쪽, 89쪽

③ 7월 21일과 7월 23일 사이에 있는 날은 7월 며칠일까요?

22일

④ 탁구공에 수를 순서대로 써넣었습니다. 44번 탁구공의 다음 탁구공은 몇 번일까요?

45번

⑤ 수가 적힌 스티커를 번호 순서대로 붙였습니다. 71번 스티커는 몇 번과 몇 번 사이에 있을까요?

70번, 72번

✎ 다음 물음에 답하세요.

⑥ 화단에 장미가 83송이 있습니다. 튤립은 장미보다 1송이 더 많습니다. 화단에 있는 튤립은 몇 송이일까요?

84송이

⑦ 혁오는 우표를 52장 모았습니다. 두리는 혁오보다 우표를 1장 더 적게 모았습니다. 두리가 모은 우표는 몇 장일까요?

51장

✎ 다음 물음에 답하세요.

⑧ 색종이를 번호 순서대로 나란히 놓았습니다. 48번과 49번 색종이 사이에 있는 색종이는 몇 장일까요?

0장

⑨ 밤을 따서 번호를 순서대로 붙였습니다. 71번과 74번 밤 사이에 있는 밤은 모두 몇 개일까요?

2개

P 32

확인학습

사물함에 번호를 순서대로 붙였습니다. 물음에 답하세요.

	72	71	70			
78			75	74	73	
85	84		82		80	79
94				89		

⑩ 70번 사물함 바로 오른쪽에 있는 사물함은 몇 번일까요?

69번

⑪ 84번 사물함 바로 아래에 있는 사물함은 몇 번일까요?

92번

⑫ 71번 사물함에서 아래로 3칸, 오른쪽으로 1칸 떨어진 곳에 있는 사물함은 몇 번일까요?

90번

⑬ 82번 사물함에서 왼쪽으로 1칸, 위로 1칸 떨어진 곳에 있는 사물함은 몇 번일까요?

76번

수의 크기 비교

P 34 ~ 35

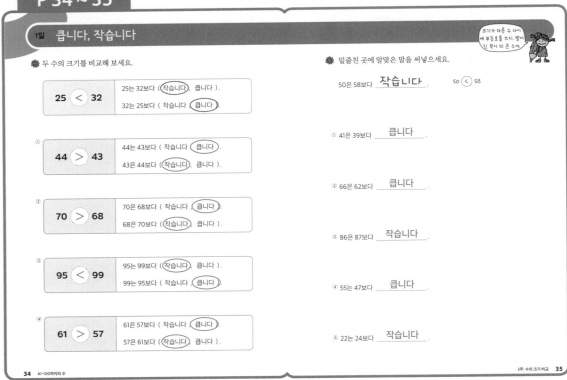

1일 큽니다, 작습니다

크기가 다른 수 사이에 부등호를 쓰지, 벌어진 쪽이 더 큰 수야.

🌸 두 수의 크기를 비교해 보세요.

25 < 32
25는 32보다 ((작습니다), 큽니다).
32는 25보다 (작습니다, (큽니다)).

① 44 > 43
44는 43보다 (작습니다, (큽니다)).
43은 44보다 ((작습니다), 큽니다).

② 70 > 68
70은 68보다 (작습니다, (큽니다)).
68은 70보다 ((작습니다), 큽니다).

③ 95 < 99
95는 99보다 ((작습니다), 큽니다).
99는 95보다 (작습니다, (큽니다)).

④ 61 > 57
61은 57보다 (작습니다, (큽니다)).
57은 61보다 ((작습니다), 큽니다).

🌸 밑줄친 곳에 알맞은 말을 써넣으세요.

50은 58보다 **작습니다**.   50 < 58

① 41은 39보다 **큽니다**.

② 66은 62보다 **큽니다**.

③ 86은 87보다 **작습니다**.

④ 55는 47보다 **큽니다**.

⑤ 22는 24보다 **작습니다**.

P 36 ~ 37

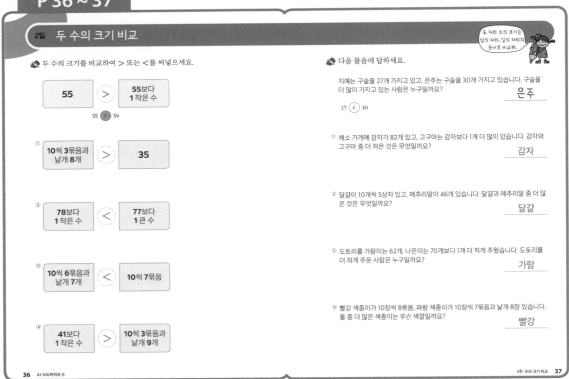

2일 두 수의 크기 비교

두 자리 수의 크기는 십의 자리, 일의 자리의 순서로 비교해.

🌸 두 수의 크기를 비교하여 > 또는 <를 써넣으세요.

55 > 55보다 1 작은 수
55 > 54

① 10씩 3묶음과 낱개 8개 > 35

② 78보다 1 작은 수 < 77보다 1 큰 수

③ 10씩 6묶음과 낱개 7개 < 10씩 7묶음

④ 41보다 1 작은 수 > 10씩 3묶음과 낱개 9개

🌸 다음 물음에 답하세요.

지예는 구슬을 27개 가지고 있고, 은주는 구슬을 30개 가지고 있습니다. 구슬을 더 많이 가지고 있는 사람은 누구일까요?

은주

27 < 30

① 채소 가게에 감자가 82개 있고, 고구마는 감자보다 1개 더 많이 있습니다. 감자와 고구마 중 더 적은 것은 무엇일까요?

감자

② 달걀이 10개씩 5상자 있고, 메추리알이 46개 있습니다. 달걀과 메추리알 중 더 많은 것은 무엇일까요?

달걀

③ 도토리를 가람이는 62개, 나온이는 70개보다 1개 더 적게 주웠습니다. 도토리를 더 적게 주운 사람은 누구일까요?

가람

④ 빨강 색종이가 10장씩 8묶음, 파랑 색종이가 10장씩 7묶음과 낱개 8장 있습니다. 둘 중 더 많은 색종이는 무슨 색깔일까요?

빨강

P 38 ~ 39

3일 가장 큽니다, 가장 작습니다

여러 수의 크기를 비교할 때는 수를 큰 수 서대로 나열해 봐.

🐝 가장 큰 수에 ○표, 가장 작은 수에 △표 하세요.

△65 (73) 69

73 (>) 69 (>) 65

① (22) 20 △18

② 55 △54 (57)

③ 80 (85) △76

④ △29 35 (41)

🐝 밑줄친 곳에 알맞은 말을 써넣으세요.

41, 49, 43 중 49가 __큽니다__.

49 (>) 43 (>) 41
가장   가장
큰 수   작은 수

① 90, 84, 78 중 78이 가장 __작습니다__.

② 56, 62, 61 중 56이 가장 __작습니다__.

③ 32, 28, 33 중 33이 가장 __큽니다__.

④ 76, 77, 74 중 77이 가장 __큽니다__.

⑤ 65, 70, 72 중 65가 가장 __작습니다__.

P 40 ~ 41

4일 세 수의 크기 비교

묻는 것이 가장 많은 것인지 가장 적은 것인지 잘 따져야 해.

🐝 세 수 중 가장 큰 수에 ○표, 가장 작은 수에 △표 하세요.

(72) 68 68보다 △1 작은 수

72 (>) 68 (>) 67

① 37보다 1 큰 수 △37 (40)

② △82 10씩 8묶음과 낱개 7개 (86)

③ 52 (52보다 1 큰 수) △10씩 5묶음

🐝 다음 물음에 답하세요.

농장에서 복숭아를 연아는 45개, 두기는 52개 땄습니다. 민지는 연아보다 1개 더 많이 땄습니다. 셋 중 복숭아를 가장 적게 딴 사람은 누구일까요?

__연아__

52 (>) 46 (>) 45
두기   민지   연아

① 지아는 동화책을 월요일에 38쪽 읽었습니다. 화요일에는 월요일보다 1쪽 더 많이 읽었고, 수요일에는 화요일보다 1쪽 더 많이 읽었습니다. 동화책을 가장 많이 읽은 날은 무슨 요일일까요?

__수요일__

② 채소 가게에 가지가 27개, 애호박이 32개 있습니다. 오이는 10개씩 2묶음에 낱개로 9개 있습니다. 채소 가게에 가장 많은 채소는 무엇일까요?

__애호박__

③ 기현이는 우표를 64장 모았고, 소마는 기현이보다 우표를 1장 더 적게 모았습니다. 준우는 우표를 10개씩 7묶음 모았습니다. 셋 중 우표를 가장 적게 모은 사람은 누구일까요?

__소마__

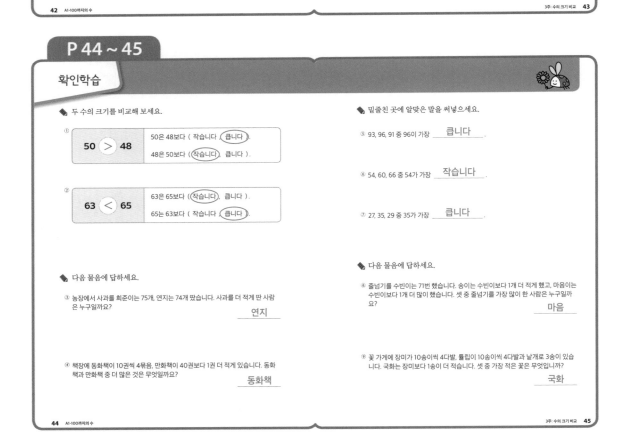

P 42 ~ 43

5일 큰 순서대로

주어진 수를 모두 두 자리 수로 나타낸 후 크기를 비교해 봐.

❀ 수의 크기를 비교하여 알맞게 이어 보세요.

① | 44 | 50보다 1 큰 수 | 50 | 51 > 50 > 44

가장 큰 수 · 2번째로 큰 수 · 가장 작은 수

② | 10씩 7묶음과 낱개 2개 | 76 | 76보다 1 큰 수 |

가장 큰 수 · 2번째로 큰 수 · 가장 작은 수

③ | 39 | 10씩 4묶음 | 35보다 1 작은 수 | 35 |

가장 큰 수 · 2번째로 큰 수 · 3번째로 큰 수 · 가장 작은 수

❀ 다음 물음에 답하세요.

칭찬 스티커를 1반 학생들은 68장, 2반 학생들은 65장 모았습니다. 3반 학생들은 1반보다 1장 더 적게 모았습니다. 칭찬 스티커를 많이 모은 순서대로 반 이름을 써 보세요.

68 > 67 > 65   1반 ,   3반 ,   2반
1반 3반 2반

① 과수원에서 사과를 91개, 배를 10개씩 8봉지와 낱개로 8개 땄습니다. 복숭아는 사과보다 1개 더 많이 땄습니다. 과일을 많이 딴 순서대로 이름을 써 보세요.

복숭아 ,   사과 ,   배

② 만화책을 월요일에 32쪽, 화요일에 40쪽 읽었습니다. 수요일에는 월요일보다 1쪽 더 많이, 목요일에는 화요일보다 1쪽 더 적게 읽었습니다. 만화책을 많이 읽은 순서대로 요일을 써 보세요.

화요일 ,   목요일 ,   수요일 ,   월요일

P 44 ~ 45

확인학습

✎ 두 수의 크기를 비교해 보세요.

① | 50 > 48 | 50은 48보다 (작습니다 , (큽니다)).
48은 50보다 ((작습니다) , 큽니다).

② | 63 < 65 | 63은 65보다 ((작습니다) , 큽니다).
65는 63보다 (작습니다 , (큽니다)).

✎ 밑줄친 곳에 알맞은 말을 써넣으세요.

③ 93, 96, 91 중 96이 가장   큽니다 .

⑥ 54, 60, 66 중 54가 가장   작습니다 .

⑦ 27, 35, 29가 35가 가장   큽니다 .

✎ 다음 물음에 답하세요.

③ 농장에서 사과를 희준이는 75개, 연지는 74개 땄습니다. 사과를 더 적게 딴 사람은 누구일까요?
연지

④ 책장에 동화책이 10권씩 4묶음, 만화책이 40권보다 1권 더 적게 있습니다. 동화책과 만화책 중 더 많은 것은 무엇일까요?
동화책

✎ 다음 물음에 답하세요.

⑧ 줄넘기를 수빈이는 71번 했습니다. 송이는 수빈이보다 1개 더 적게 했고, 마음이는 수빈이보다 1개 더 많이 했습니다. 셋 중 줄넘기를 가장 많이 한 사람은 누구일까요?
마음

⑨ 꽃 가게에 장미가 10송이씩 4다발, 튤립이 10송이씩 4다발과 낱개로 3송이가 있습니다. 국화는 장미보다 1송이 더 적습니다. 셋 중 가장 적은 꽃은 무엇입니까?
국화

P 46

확인학습

✎ 다음 물음에 답하세요.

⑩ 우람이는 구슬을 42개 가지고 있고, 진아는 구슬을 39개 가지고 있습니다. 기준이가 가진 구슬은 10개씩 4묶음입니다. 구슬을 많이 가진 순서대로 이름을 써 보세요.

<u>   우람   </u>, <u>   기준   </u>, <u>   진아   </u>

⑪ 학교 도서관에 동화책이 87권 있고, 위인전은 동화책보다 1권 더 많이 있습니다. 소설책은 10권씩 9묶음에 낱개로 2권 있습니다. 책이 더 많은 순서대로 이름을 써 보세요.

<u> 소설책 </u>, <u> 위인전 </u>, <u> 동화책 </u>

⑫ 빨강, 파랑, 노랑 색종이가 각각 61장, 54장, 66장 있습니다. 초록 색종이는 파랑 색종이보다 1장 더 많습니다. 색종이가 많은 순서대로 색깔을 써 보세요.

<u>   노랑   </u>, <u>   빨강   </u>, <u>   초록   </u>, <u>   파랑   </u>

P 48 ~ 49

1일 10씩 뛰어 세기

🌸 10씩 여러 번 뛰어 센 수를 구하세요.

10에서 10씩 4번 뛰어 센 수는 __50__ 입니다.

① 55에서 10씩 3번 뛰어 센 수는 __85__ 입니다.

② 42에서 10씩 4번 뛰어 센 수는 __82__ 입니다.

③ 29에서 10씩 5번 뛰어 센 수는 __79__ 입니다.

🌸 다음 물음에 답하세요.

기현이는 스티커 23장을 가지고 있습니다. 하루에 스티커를 10장씩 더 모으려고 합니다. 3일 후에 기현이가 가진 스티커는 모두 몇 장일까요?

53장

① 과일 가게에 사과가 36개 있습니다. 사과를 10개씩 2봉지 더 가져 오면 사과는 모두 몇 개가 될까요?

56개

② 어제까지 동화책을 51쪽 읽었습니다. 오늘부터 하루에 동화책을 10쪽씩 더 읽으려고 합니다. 4일 후까지 읽은 동화책은 모두 몇 쪽일까요?

91쪽

③ 쌓기나무 18개가 쌓여 있습니다. 쌓기나무를 10개씩 5번 더 쌓으면 쌓기나무는 모두 몇 개가 될까요?

68개

P 50 ~ 51

2일 2씩 뛰어 세기

🐚 2씩 여러 번 뛰어 센 수를 구하세요.

22에서 2씩 2번 뛰어 센 수는 __26__ 입니다.

① 35에서 2씩 4번 뛰어 센 수는 __43__ 입니다.

② 78에서 2씩 3번 뛰어 센 수는 __84__ 입니다.

| 78 | 80 | 82 | 84 |

③ 51에서 2씩 5번 뛰어 센 수는 __61__ 입니다.

🐚 다음 물음에 답하세요.

화단에 장미가 69송이 피어 있습니다. 하루에 장미는 2송이씩 더 핀다고 합니다. 5일 후에 화단에 있는 장미는 모두 몇 송이일까요?

79송이

① 지우는 어제까지 달걀을 24개 모았습니다. 지우네 집 닭들이 하루에 달걀을 2개씩 낳는다고 합니다. 3일 후까지 지우가 모은 달걀은 모두 몇 개일까요?

30개

② 놀이 공원 앞에 37명의 사람들이 줄을 서 있습니다. 사람들이 2명씩 4번 더 오면 줄을 서 있는 사람은 모두 몇 명이 될까요?

45명

③ 현우네 집에 젓가락이 18개 있었습니다. 엄마가 젓가락을 4쌍 더 사 왔습니다. 현우네 집에 있는 젓가락은 모두 몇 개일까요?

26개

14 A1-100까지의 수

P 52 ~ 53

3일 5씩 뛰어 세기

🐝 5씩 여러 번 뛰어 센 수를 구하세요.

71에서 5씩 3번 뛰어 센 수는 __86__ 입니다.

| 71 | 76 | 81 | 86 |

① 15에서 5씩 2번 뛰어 센 수는 __25__ 입니다.

| 15 | 20 | 25 |

② 49에서 5씩 5번 뛰어 센 수는 __74__ 입니다.

| 49 | 54 | 59 | 64 | 69 | 74 |

③ 63에서 5씩 4번 뛰어 센 수는 __83__ 입니다.

| 63 | 68 | 73 | 78 | 83 |

🐝 다음 물음에 답하세요.

일의 자리가 4, 6, 6과 같이 5 차이나는 숫자가 반복되고 있지?

우상이는 수학 문제를 45문제 풀었습니다. 수학 문제는 1쪽에 5문제씩 있습니다. 수학 문제를 4쪽 더 풀면 우상이가 푼 수학 문제는 모두 몇 문제가 될까요? __65문제__

| 45 | 50 | 55 | 60 | 65 |
| | 1쪽 | 2쪽 | 3쪽 | 4쪽 |

① 캠핑장에 학생들이 61명 있습니다. 학생들이 5명씩 3모둠 더 오면 캠핑장에 있는 학생들은 모두 몇 명이 될까요? __76명__

② 주민이는 우표를 32장 모았습니다. 오늘부터 우표를 하루에 5장씩 더 모으려고 합니다. 2일 후까지 주민이가 모은 우표는 모두 몇 장일까요? __42장__

③ 냉장고에 귤이 38개 있었습니다. 냉장고에 귤을 1봉지에 5개씩 5봉지 더 넣으면 귤은 모두 몇 개가 될까요? __63개__

P 54 ~ 55

4일 원래 수는 얼마일까요

🐌 뛰어 세기 전 원래 수를 구하세요.

__33__ 에서 10씩 4번 뛰어 센 수는 73입니다.

| 33 | 43 | 53 | 63 | 73 |

① __40__ 에서 2씩 3번 뛰어 센 수는 46입니다.

| 40 | 42 | 44 | 46 |

② __66__ 에서 5씩 5번 뛰어 센 수는 91입니다.

| 66 | 71 | 76 | 81 | 86 | 91 |

③ __7__ 에서 10씩 2번 뛰어 센 수는 27입니다.

| 7 | 17 | 27 |

🐌 다음 물음에 답하세요.

원래 수를 구하려면 같은 횟수만큼 거꾸로 뛰어 세면 돼.

사과를 10씩 5상자 더 땄더니 사과가 모두 72개가 되었습니다. 원래 있던 사과는 몇 개일까요? __22개__

| 22 | 32 | 42 | 52 | 62 | 72 |
| 원래 있던 사과 | 1상자 | 2상자 | 3상자 | 4상자 | 5상자 |

① 정후가 오늘부터 하루에 동전을 10개씩 모으면 4일 후에 동전이 모두 49개가 됩니다. 정후가 원래 가지고 있던 동전은 몇 개일까요? __9개__

② 하루에 사과가 2개씩 열리는 사과나무가 있습니다. 3일 후에 사과나무에 열린 사과가 모두 67개일 때, 사과나무에 원래 있던 사과는 몇 개일까요? __61개__

③ 큰 어항에 열대어를 1봉지에 5마리씩 4봉지 더 넣었더니 열대어가 모두 97마리가 되었습니다. 어항에 원래 있던 열대어는 몇 마리일까요? __77마리__

P 56 ~ 57

5일 몇 번 뛰었을까요

친꽃 수에서 오른쪽
수가 나올 때까지 뛰어
센 횟수를 구해 봐.

❀ 몇 번 뛰어 세었는지 구하세요.

19에서 5씩 __5__ 번 뛰어 센 수는 44입니다.

19 [24] [29] [34] [39] 44
  1번 2번 3번 4번 5번
  (5) (5) (5) (5) (5)

① 79에서 2씩 __2__ 번 뛰어 센 수는 83입니다.

79 ----- 83

② 35에서 10씩 __3__ 번 뛰어 센 수는 65입니다.

35 ----- 65

③ 62에서 5씩 __4__ 번 뛰어 센 수는 82입니다.

62 ----- 82

❀ 다음 물음에 답하세요.

냉장고에 굴비가 12마리 있습니다. 1묶음에 5마리인 굴비를 몇 묶음 더 샀더니 굴비가 모두 32마리가 되었습니다. 더 산 굴비는 몇 묶음일까요?

__4묶음__

12 [17] [22] [27] 32
  1묶음 2묶음 3묶음 4묶음

① 우혁이는 구슬을 75개 가지고 있습니다. 하루에 구슬을 2개씩 더 모아서 구슬이 모두 83개가 되려면 며칠 더 모아야 할까요?

__4일__

② 화단에 나무가 23그루 있는데 53그루까지 늘리려고 합니다. 한 번에 10그루씩 몇 번 더 심어야 할까요?

__3번__

③ 하루에 5송이씩 늘어나는 연꽃이 있습니다. 연꽃이 39송이에서 49송이가 되려면 며칠이 더 걸릴까요?

__2일__

P 58 ~ 59

확인학습

✎ 색칠한 빈칸과 밑줄친 곳에 알맞은 수를 써넣으세요.

① 38에서 10씩 2번 뛰어 센 수는 __58__ 입니다.

38 | 48 | 58

② 89에서 2씩 4번 뛰어 센 수는 __97__ 입니다.

89 | 91 | 93 | 95 | 97

③ 57에서 5씩 3번 뛰어 센 수는 __72__ 입니다.

57 | 62 | 67 | 72

④ __50__ 에서 2씩 5번 뛰어 센 수는 60입니다.

50 | 52 | 54 | 56 | 58 | 60

✎ 다음 물음에 답하세요.

⑤ 주아는 어제까지 연산 문제를 40문제 풀었습니다. 오늘부터 하루에 연산 문제를 10문제씩 더 풀려고 합니다. 5일 후까지 푼 연산 문제는 모두 몇 문제일까요?

__90문제__

⑥ 체육실에 야구공이 17개 있습니다. 야구공을 5개씩 4번 더 사면 체육실에 있는 야구공은 모두 몇 개가 될까요?

__37개__

⑦ 연지는 종이학을 73장 접었습니다. 연지가 1시간에 종이학을 2장씩 접으려고 합니다. 3시간 후까지 접은 종이학은 모두 몇 장일까요?

__79장__

⑧ 장우네 반 학생들이 고구마를 40개 캤습니다. 한 사람이 고구마를 5개씩 3명이 더 캐면 고구마는 모두 몇 개가 될까요?

__55개__

P 60

확인학습

✎ 다음 물음에 답하세요.

⑨ 공원에 나무를 2그루씩 5번 더 심었더니 나무가 모두 55그루가 되었습니다. 원래 공원에 있던 나무는 몇 그루일까요?

<u>45그루</u>

⑩ 냉장고에 홍시를 5개씩 3봉지 더 넣었더니 홍시가 모두 31개가 되었습니다. 원래 냉장고에 있던 홍시는 몇 개일까요?

<u>16개</u>

⑪ 나무에 매달린 매미가 하루에 2마리씩 늘어납니다. 매미가 25마리에서 31마리가 되려면 며칠이 더 걸릴까요?

<u>3일</u>

⑫ 서랍에 있는 장갑의 손가락 수를 세어 보니 30개입니다. 손가락 수가 80개가 되려면 장갑을 몇 켤레 더 넣어야 할까요?

<u>5켤레</u>

P62 ~ 63

월 일
제한 시간 10분
맞은 개수 / 9개

✏️ 밑줄친 곳에 알맞은 수를 써넣으세요.

① 60은 10개씩 __6__ 묶음입니다.

② 10개씩 4묶음은 __40__ 입니다.

③ 10은 10개씩 __1__ 묶음입니다.

✏️ 수 배열의 규칙을 찾아 빈 곳을 알맞게 채워 보세요.

④
44	46	48	50	52	54	56	58	60
45	47	49	51	53	55	57	59	61

99	98	97	96	95	94	93
	92	91	90	89	88	
		87	86	85		

✏️ 다음 물음에 답하세요.

⑤ 동물 농장에 소가 19마리, 돼지가 28마리, 오리가 23마리 있습니다. 셋 중 가장 많은 동물은 무엇일까요?

__돼지__

⑥ 아린이는 고구마를 10개씩 5봉지 캤고, 도연이는 10개씩 4봉지에 낱개로 8개를 캤습니다. 강우는 도연이보다 1개 더 많이 캤습니다. 셋 중 고구마를 가장 적게 캔 사람은 누구일까요?

__도연__

✏️ 다음 물음에 답하세요.

⑧ 도토리나무에 도토리가 64개 열려 있습니다. 도토리는 하루에 5개씩 더 열린다고 합니다. 2일 후에 도토리나무에 열린 도토리는 모두 몇 개일까요?

__74개__

⑨ 정원에 나무가 23그루 있습니다. 나무를 1줄에 5그루씩 5줄 더 심으면 정원에 있는 나무는 모두 몇 그루가 될까요?

__48그루__

P 64 ~ 65

월 일
제한 시간 10분
맞은 개수 / 8개

✏️ 다음 물음에 답하세요.

① 구슬이 한 주머니에 10개씩 들어 있습니다. 주머니 5개에 들어 있는 구슬은 모두 몇 개일까요?

__50개__

② 나무가 한 줄에 10그루씩 심어져 있습니다. 8줄에 심은 나무는 모두 몇 그루일까요?

__80그루__

✏️ 다음 물음에 답하세요.

③ 의자 뒤에 순서대로 번호를 쓰면서 놓았습니다. 68번 의자 앞에 놓은 의자는 몇 번일까요?

__67번__

④ 은행에서 51번 번호표를 뽑았습니다. 바로 뒤에 번호표를 뽑은 사람은 몇 번일까요?

__52번__

✏️ 다음 물음에 답하세요.

⑤ 옷 가게에 셔츠가 33벌 있습니다. 바지는 셔츠보다 1벌 더 적고, 치마는 바지보다 1벌 더 적습니다. 옷이 더 많은 순서대로 이름을 써 보세요.

__셔츠__ , __바지__ , __치마__

⑥ 국제 어린이 학교에 중국 학생이 53명, 미국 학생이 60명 있습니다. 한 모둠에 10명씩 모았을 때 일본 학생은 5모둠에 5명이 남고, 한국 학생은 4모둠에 9명이 남습니다. 학생이 더 많은 나라 순서대로 이름을 써 보세요.

__미국__ , __일본__ , __중국__ , __한국__

✏️ 다음 물음에 답하세요.

⑦ 래원이가 오늘부터 하루에 우표를 10장씩 모으면 5일 후에 우표가 모두 80장이 됩니다. 래원이가 원래 가지고 있던 우표는 몇 장일까요?

__30장__

⑧ 우리에 오리 2마리를 더 넣었더니 오리의 다리 수는 모두 62개가 되었습니다. 원래 우리에 있던 오리의 다리 수는 몇 개일까요?

__58개__

P 66 ~ 67

3회차 진단평가

제한 시간 10분
맞은 개수 / 9개

🖋 밑줄친 곳에 알맞은 수를 써넣으세요.

① 10개씩 5묶음과 낱개 6개는 __56__ 입니다.

② 10개씩 1묶음과 낱개 8개는 __18__ 입니다.

③ 69는 10개씩 __6__ 묶음과 낱개 __9__ 개입니다.

🖋 다음 물음에 답하세요.

④ 지은이는 장거리 달리기 경기에서 45등으로 들어왔습니다. 지은이는 몇 등과 몇 등 선수 사이에 들어왔을까요?

__44등, 46등__

⑤ 가로수에 번호표를 붙였습니다. 58번과 60번 가로수 사이에 있는 가로수는 몇 번일까요?

__59번__

🖋 두 수의 크기를 비교해 보세요.

⑥
88 < 89

88은 89보다 (작습니다), 큽니다).
89는 88보다 (작습니다 , 큽니다).

⑦
33 > 29

33은 29보다 (작습니다 , 큽니다).
29는 33보다 (작습니다), 큽니다).

🖋 다음 물음에 답하세요.

⑧ 저금통에 동전이 36개 있습니다. 하루에 동전을 5개씩 더 모아서 동전이 모두 61개가 되려면 며칠 더 모아야 할까요?

__5일__

⑨ 민희네 반 아이들이 복숭아를 47개 땄습니다. 한 사람이 10개씩 더 따서 복숭아가 모두 67개가 되려면 복숭아를 몇 명이 더 따야 할까요?

__2명__

P 68 ~ 69

4회차 진단평가

제한 시간 10분
맞은 개수 / 8개

🖋 다음 물음에 답하세요.

① 음료수가 한 상자에 10병씩 1상자 있고 2병 더 있습니다. 음료수는 모두 몇 병일까요?

__12병__

② 두리는 우표를 10장씩 4세트 모았고 6장 더 모았습니다. 두리가 모은 우표는 모두 몇 장일까요?

__46장__

🖋 다음 물음에 답하세요.

③ 운동장에 여학생이 61명 있습니다. 남학생은 여학생보다 1명 더 적습니다. 운동장에 있는 남학생은 몇 명일까요?

__60명__

④ 농장에 돼지가 32마리 있습니다. 소는 돼지보다 1마리 더 많습니다. 농장에 있는 소는 몇 마리일까요?

__33마리__

🖋 다음 물음에 답하세요.

⑤ 연필을 아름이는 10자루씩 4묶음과 낱개로 8자루, 현아는 10자루씩 5묶음 가지고 있습니다. 연필을 더 많이 가지고 있는 사람은 누구일까요?

__현아__

⑥ 동물 카페에 강아지가 36마리 있고, 고양이는 강아지보다 1마리 더 적습니다. 강아지와 고양이 중 더 적은 것은 무엇일까요?

__고양이__

🖋 다음 물음에 답하세요.

⑦ 저금통에 동전이 7개 있습니다. 동전을 10개씩 4번 더 넣으면 동전은 모두 몇 개가 될까요?

__47개__

⑧ 연못에 올챙이가 29마리 있습니다. 올챙이는 하루에 10마리씩 늘어난다고 합니다. 3일 후에 연못에 있는 올챙이는 모두 몇 마리일까요?

__59마리__

5회차 진단평가

✎ 다음 물음에 답하세요.

① 만두 97개를 한 상자에 10개씩 넣으려고 합니다. 만두는 몇 상자가 되고, 몇 개가 남을까요?

9상자, 7개

② 셔츠 46벌을 한 봉투에 10벌씩 담으려고 합니다. 셔츠는 몇 봉투에 담게 되고, 몇 벌이 남을까요?

4봉투, 6벌

✎ 다음 물음에 답하세요.

③ 옷 가게에서 셔츠를 번호 순서대로 정리했습니다. 53번과 57번 셔츠 사이에는 셔츠가 모두 몇 벌 있을까요?

3벌

④ 8월 25일과 8월 31일 사이에는 모두 며칠이 있을까요?

5일

✎ 밑줄친 곳에 알맞은 말을 써넣으세요.

⑤ 63, 49, 52 중 63이 가장 **큽니다** .

⑥ 85, 80, 93 중 80이 가장 **작습니다** .

⑦ 75, 69, 81 중 81이 가장 **큽니다** .

✎ 다음 물음에 답하세요.

⑧ 서랍 안에 양말이 31개 있습니다. 서랍에 양말을 2켤레 더 넣으면 양말은 모두 몇 개가 될까요?

35개

⑨ 어제까지 민국이가 마신 우유는 42잔입니다. 오늘부터 하루에 2잔씩 우유를 마시려고 합니다. 민국이가 5일 후까지 마신 우유는 모두 몇 잔일까요?

52잔

"

The essence of mathematics
is its freedom.

"

"수학의 본질은 그 자유로움에 있다."

Georg Cantor, 게오르크 칸토어